D0901598

NATSUKI TAKAYA

ESTA HISTORIA ES DE FICCIÓN. CUALQUIER PARECIDO CON PERSONAS O HECHOS DE LA VIDA REAL ES PURA COINCIDENCIA.

Fruits Basket

Índice:

Fruits Basket.

PRESENTACIÓN DE PERSONAJES.

TOORU HONDA. NUESTRA PROTAGONISTA. UNA CHICA POSITIVA Y LLENA DE ENERGÍA, AUNQUE A VECES PARECE QUE VIVA EN SU PROPIO MUNDO. SU ANIMAL FAVORITO DE LOS DOCE DEL ZODÍACO ES EL GATO.

SHIGURE SOMA (PERRO). DUEÑO DE LA CASA EN LA QUE VIVEN TOORU, YUKI Y KYO. ES EL RESPONSABLE DE LOS TRES.

KYO SOMA (GATO). UN CHICO OBSESIONADO CON DERROTAR A YUKI PARA ASÍ PODER FORMAR PARTE DEL CÍRCULO DE LOS DOCE DEL ZODÍACO.

YUKI SOMA (RATÓN). COMPAÑERO DE CLASE DE TOORU Y "PRÍNCIPE" DEL INSTITUTO. AFICIONES: CULTIVAR VERDURAS.

RESUMEN DE LO SUCEDIDO

¡HOLA A TODOS! ME LLAMO TOORU HONDA Y ESTOY VIVIENDO CON LOS SOMA, UNA FAMILIA QUE ME ACOGIÓ EN SU CASA DESPUÉS DE QUE ESTUVIERA VIVIENDO SOLA EN UNA TIENDA DE CAMPAÑA... LOS SOMA ESTÁN POSEÍDOS POR LOS ESPÍRITUS DE LOS DOCE ANIMALES DEL ZODÍACO CHINO TAL COMO APARECEN EN UNA ANTIGUA LEYENDA, PERO SON PERSONAS MUY INTERESANTES Y AMABLES, AUNQUE TODOS TIENEN UNA PERSONALIDAD MUY MARCADA Y NO DEJAN DE SORPRENDERME. SÉ QUE SOY ALGUIEN INSIGNIFICANTE Y APENAS CONOZCO SU REALIDAD, PERO DESEO CON TODO MI CORAZÓN PODER LIBERARLES DE SU MALDICIÓN PARA QUE UN DÍA VUELVAN A REÍR LIBREMENTE. AHORA QUE HA TERMINADO EL FESTIVAL CULTURAL Y VUELVE LA RUTINA DIARIA, ME PARECE NOTAR QUE KYO ESTÁ UN POCO EXTRAÑO...

capítulo 90
fruits basket

¡QUE VIVAN LAS PAREJAS EMPALAGOSAS!

EL FESTIVAL CULTURAL PASÓ COMO UNA TORMENTA.

¡LÍDER! ¡TIENES LA MIRADA PERDIDA!

¡ESA SONRISA! ¡QUE SEA MÁS GENUINA!

ANTES DE QUE PUDIÉRAMOS DARNOS CUENTA, LLEGABA EL FINAL DEL AÑO.

ELLA SEGUÍA COMO SIEMPRE, OCUPADA CON LAS LABORES DE LA CASA Y SU TRABAJO...

ESTUDIANDO...

Y CREO QUE HASTA IBA A VISITAR A RIN DE VEZ EN CUANDO AL HOSPITAL.

CÓMO ME GUSTARÍA PODER QUEMARLO TODO.
OLVIDARLO DE UNA VEZ POR TODAS.
UAAAH...
ES INCREÍBLE CON QUÉ CLARIDAD SE VE...
¿ASÍ ES COMO SUENA MI VOZ?
ESTÁS MONÍSIMA, TOORU.
PARECES UNA PRINCESA.
PLAS
¿AH, SÍ? NO... NO ES PARA TANTO...

AH...
KYO COMO PRÍNCIPE TAMBIÉN ES DIGNO DE VERSE.
¿QUÉ ESTÁIS HACIEN-DO?
¡UAH!
TAN LIGERO DE ROPA CO-MO SIEMPRE. ¿NO TIENES FRÍO? HOLA, KYO...
BIEN-VENIDO, KYO.
PLAS
¡AH!
BUENAS, ¿HASTA DÓNDE HAS CORRIDO HOY?
¡NO ES JUSTO!
¡KYO HA APAGADO LA TELE!
¡PARA YA!
¿QUÉ DEMONIOS HACÍA YO EN LA TELE?

LO ESTABAN EMITIENDO PARA TODO EL PAÍS.
¡¡NO PUEDE SER!! ¡¡SERÁ UNA BROMA, ¿NO?!!
ES UNA BROMA.
UGH...
KYO, NO SABES NADA DEL PODER DE LOS MEDIOS.
¿VER-DAD?
SE...
SE LLAMA DVD, KYO.
¡CABEN MUCHAS HORAS DE GRABACIÓN Y PUEDEN HACERSE TODAS LAS COPIAS QUE QUIERAS!
NO ME LO CUENTES COMO SI FUERAS UNA EXPERTA...
...
TE HAS ENTERADO HOY, ¿VERDAD?
CON-FIESA.
SÍ...
QUERÍA HACERSE LA INTERE-SANTE.
AH...
¡PERO ES ALGO INCREÍBLE!
¿EL QUÉ?

VER CÓMO LA GENTE SE MUEVE Y HABLA EN LA PANTALLA.
¡ES MUCHO MEJOR QUE LAS FOTOS!
PARECE QUE SEA DE VERDAD.
¡LAS IMÁGENES ESTÁN VIVAS!

O DEJAR ATRÁS...
¿CUÁL DE LAS DOS COSAS DOLERÁ MÁS?
KYO...
AH...
A NOSOTROS NOS APETECE MUCHO VERLO, ¿TE IMPORTARÍA DEJAR DE MOLESTARNOS?
TENGO QUE IRME DENTRO DE UN RATO.
¿¡EH!?
¡¡ESO, ESO!! ¡¡LOS AGUAFIESTAS FUERA!!
TSK...
HACED LO QUE OS DÉ LA GANA.
AH...
KYO...
NO TE OLVIDES... DE SECARTE EL SUDOR.
PODRÍAS RESFRIARTE.

Cesta de frutas

¡Hola y encantada! Soy Natsuki Takaya, y ya hemos llegado al tomo 16. ¡La portada es para la cabecilla de la banda! He tenido que pensar a qué 16º personaje ponía en la portada. 16 tomos, se dice pronto... Al parecer, hay bastantes personas que se preguntan qué voy a hacer con los personajes de las portadas de ahora en adelante. O a lo mejor no las hay... Pero en cualquier caso, no os preocupéis, que lo tengo todo pensado. Ya sé que a veces no reflexiono muchas cosas y me da lo mismo de una manera que de otra, pero las cosas importantes las pienso muy bien (risas). Si he de ser sincera, no estaba muy segura de que me fueran a permitir desarrollar tanto esta historia, incluso parece que me permitirán que llegue al final que yo tenía pensado. Estoy muy agradecida por ello. Y dicho esto, espero que disfrutéis mucho de este tomo 16.

SI LO SUPIERAS...
QUE YO CONOCÍA
A TU MADRE.
¿QUIERES QUE SEA ASÍ?
¿POR QUÉ LO RECUERDO PRECISAMENTE AHORA?
NO DEJAN DE SALIR, UNO TRAS OTRO.
ES COMO SI HUBIERAN ABIERTO LA TAPA DE MIS RECUERDOS.
HUM

¿ES POR-QUE PASO DEMASIADO TIEMPO CON ELLA?
¿ES POR LO QUE HE EMPEZADO A SENTIR?
¿POR-QUE FINJO NO SABER NADA?
¿PORQUE FINJO NO DARME CUENTA?
¿PORQUE FINJO HABERLO OLVIDADO?
¿ME CULPAS POR ESO?
¿QUIERES...
...QUE TE CUL-PEN?
PORQUE YO...

...SÍ QUERÍA QUE ME CULPARAN.
TENGO LA IMPRESIÓN...
...DE QUE ME HABLÓ DE MUCHAS COSAS.
¿CUÁNDO...?
¿CUÁNDO FUE EXACTAMENTE?
EMPEZÓ A CONTARME TODA SU HISTORIA.
DESDE EL PRINCIPIO.

ME DIJO QUE YA ANTES DE PASAR A SECUNDARIA
LA CONSIDERABAN UN "CASO PERDIDO".
SE MEZCLABA CON MALAS COMPAÑÍAS.
ME DIJO QUE SÓLO HACÍA "MALDADES".
ATACABA SIN PIEDAD A GENTE QUE LLORABA Y PEDÍA AYUDA.
¡TIENES MUCHOS HUMOS PARA SER TAN DEBILUCHA!
PLAF
SO... SOCORRO...
PAAF
DABA PALIZAS HASTA DEJAR A SU ADVERSARIO SANGRANDO Y DESTROZADO.
¡MUÉRETE DE UNA VEZ, IDIOTA!
¡MUÉRETE!
Y TAMBIÉN SE LAS DABAN A ELLA.

¿HAS VISTO ESO?
QUÉ VERGÜENZA...
DEBERÍAMOS LLAMAR A LA POLICÍA.
PLLAAAS
¡UAH!
¿QUÉ ESTÁIS MIRANDO, ZORRAS?
¡¡LARGAOS SI NO QUERÉIS QUE OS PARTA LA CARA!!
AH...
DA HASTA MIEDO.
¿CÓMO LA HABRÁN EDUCADO SUS PADRES?
...
ME DIJO QUE SUS PADRES...

...ESTAR, ESTABAN, PERO EL AMBIENTE EN SU CASA ERA FRÍO, MUY FRÍO.
Y SOLTÓ UNA RISA INCÓMODA AL CONTÁRMELO.

SU PADRE NUNCA SE PARABA A PENSAR EN LOS ASUNTOS DE LA FAMILIA.

SU MADRE SÓLO SE PREOCUPABA POR CONTENTAR A SU PADRE.

NUNCA SALÍAN JUNTOS A NINGUNA PARTE.
Y ERA RARO QUE COMIERAN JUNTOS EN LA MISMA MESA.

NI SIQUIERA RECORDABA QUE LA HUBIERAN ABRAZADO NUNCA.
¡¡FUERA DE AQUÍ!!
¡¡ERES UNA VERGÜENZA PARA ESTA FAMILIA!!

¡EN ESTE MUNDO, HAY PERSONAS NECESARIAS Y PERSONAS INNECESARIAS!
¡Y TÚ ERES DEL SEGUNDO GRUPO, NIÑATA EGOÍSTA!
¡¡SI PIENSAS SEGUIR ASÍ, NO TE MOLESTES EN VOLVER A PONER UN PIE EN ESTA CASA!!
NO HACE FALTA QUE GRITES...
PLAF
KYO-KO...
AY, KYOKO...
¿POR QUÉ...?
¿POR QUÉ TE HAS VUELTO ASÍ?
¿SABES CUÁNTO SE ENFADA TU PADRE CONMIGO POR TU CULPA?
¿ERES CONSCIENTE DE LO QUE DICEN DE NOSOTROS LOS VECINOS?
¿POR QUÉ?
DIME...
CRASH

...QUE SINTIÓ QUE SE HACÍA PEDAZOS COMO SI ESTUVIERA HECHA DE CRISTAL.

PUES ENTONCES, NO HABERME TENIDO.
YO NO...
ME DIJO...

¡¡YO NO PEDÍ VENIR AL MUNDO!!

NO PODÍA CONFIAR EN SUS PADRES.
NI EN SUS COMPAÑEROS, PORQUE SE HABÍAN VUELTO CONTRA ELLA.
TODOS QUERÍAN HERIRLA.

EN PLENA NOCHE...
...RECORRÍA LAS CALLES CON SU MOTO.
NO SABÍA SI REÍR...
...O ECHARSE A LLORAR.
SENTÍA QUE PODÍA LLEGAR A CUALQUIER PARTE...
...Y A NINGUNA A LA VEZ.
ESTABA PERDIDA.
¡¡KATSUNUMA!!
¿¡QUÉ HACES CON ESA PINTA!?
PARA UNA VEZ QUE APARECES POR LA ESCUELA...
¿¡CREES QUE VISTIENDO ASÍ ERES MEJOR QUE LOS DEMÁS!?

VEN CONMIGO, TENEMOS QUE HABLAR CONTIGO.
Y CON TUS PADRES TAMBIÉN.
POR ESO...
HABÍA IDO TAN POCAS VECES AL CO-LEGIO...
...QUE PODÍA CONTARLAS CON LOS DEDOS DE LA MANO.
...FUE PURA CASUALI-DAD QUE, PRECISA-MENTE AQUEL DÍA...
LE CONO-CIERA.
AFAAPLA
SEÑOR...
MOLESTAS A TODOS LOS ALUMNOS QUE SE TOMAN SUS ESTUDIOS EN SERIO.
¿¡NO TE DAS CUENTA DE QUE TU ACTITUD ES VERGONZOSA!?
¡SÓLO CAUSAS PROBLEMAS A TU ALRE-DEDOR!
¡UAH!
FAS

CRASH
PLAAF
PLAF PLAF
¡¡CIERRA LA PUTA BOCA!!
¡ESTATE QUIETA!
¿¡CREES QUE ME VOY A ACOJONAR SI ME GRITAS!?
¿HAS CON-SEGUIDO CONTACTAR CON SUS PADRES?
¿¡EH!?
PLAS
QUE ...
¡QUÉDATE AHÍ HASTA QUE VENGAN TUS PADRES A BUSCARTE!
PLAF
¿¡SI NO TENÉIS HUEVOS PARA QUEDAROS, PARA QUÉ ME HACÉIS VENIR!?
DIME UNA COSA ...
¡¡PODÉIS ESPERAR SENTADOS!! ¡¡MIS PADRES NO VAN A APARECER!!
¡¡NO HUYÁIS, COBARDES!!

...¿POR QUÉ ESTÁS TAN ENFADADA?
...
¿EH?
¿QUIÉN COÑO ERES TÚ?
PLAC
¿¡¡Y ESO A TI QUÉ TE IMPORTA!!? ¡¡PIÉRDETE!!
TAC
NO VOY A SERMONEARTE.
SÓLO TE PREGUNTO POR QUÉ TE PONES ASÍ.
VETE A ECHARLE TUS SERMONES A OTRA, TÍO.
SÍ QUE ME IMPORTA.
SIENTO CURIOSIDAD.
PLAF

¡POR TODO, CAPULLO!
¡TODO! ¡¡TODO!!
¡¡TODO ME CABREA!!
ELLOS ...
LOS OTROS ...
Y LOS DE MÁS ALLÁ.
¡TÚ TAMBIÉN!
¡¡ODIO A TODO EL MUNDO!!
¡¡OS ODIO!!

ME TRATÁIS
COMO SI FUERA MIERDA.
Y LOS MIERDAS SOIS VOSOTROS.
¡¡NO SOIS NADIE PARA JUZGARME!!
PLAF
OJALÁ... OJALÁ
DESAPARECIERAIS TODOS.
TODOS VOSOTROS.
¡¡DEBERÍAIS ESTAR MUERTOS!!
¡¡MORÍOS!!
¡PUDRÍOS!
PLAF
¡MORÍOS!
PLAF
¡DESAPARECED!
PLAF
¡HACEOS PEDAZOS!

SIN EMBARGO...
...QUIERES QUE ALGUIEN SE PREOCUPE POR TI, ¿VERDAD?
QUE LA GENTE TE MIRE DE VERDAD.
QUE OTROS...
...TE NECESITEN.

QUE TE OIGAN.
TE ESCUCHEN.
TE ENTIEN-DAN.
Y TE ACEPTEN.
QUE ALGUIEN ...
...TE QUIERA.

AL MENOS ...
...ESO ES LO QUE YO QUIERO.
...
¿POR QUÉ...?
Y YO ...
NO SÉ POR QUÉ
ME HE VUELTO ASÍ.

¿POR QUÉ TE HAS VUELTO ASÍ?
YO SOY LA PRIMERA ...
...QUE SE LO PREGUNTA.
¿POR QUÉ...?
¿POR QUE ...
...SOY ASÍ?
¿DÓNDE ME EQUIVOQUÉ?
¿QUÉ FUE LO QUE HICE MAL?
ME SIENTO TAN TRISTE ...

TAN SOLA...

COMO SER HUMANO...

QUERÍA CONVERTIRME EN UNA PERSONA CAPAZ DE AMAR Y DE SER AMADA.

QUERÍA SER FELIZ.

Y SIN EMBARGO...

...ESTO ES TODO LO QUE HE PODIDO SER.

¿TE SIENTES SOLA?

FIS
MUY BIEN.
!?
VAMOS A LARGARNOS DE AQUÍ.
LOS DOS.
PERO...
¡OYE!
AH, SÍ.
ME LLAMO KATSUYA HONDA.
ENCANTADO DE CONOCERTE.
SU PRIMERA IMPRESIÓN
FUE QUE SE TRATABA DE UN PROFESOR MUY RARO.
OYE...
...¿SEGURO QUE PODEMOS HACER ESTO?

¿POR QUÉ LO PREGUNTAS?

PORQUE ERES UN PROFESOR... Y ESTO... ¿NO TE LA CARGARÁS?

NO TE PREOCUPES.

JE

NO SOY MÁS QUE UN ESTUDIANTE DE MAGISTERIO EN PRÁCTICAS, CON MUY POCAS GANAS DE TRABAJAR.

¿NO ES UN PROFESOR?

ACABABA DE LLEVARSE DEL COLEGIO A UNA ALUMNA A LA QUE ACABABA DE CONOCER...

...Y ESTABA SENTADO COMIENDO CON ELLA, COMO SI NADA.

SU COMPORTAMIENTO LE PARECÍA IRRACIONAL.

¿POR QUÉ...?

ME DIJO QUE EN AQUEL MOMENTO

NO SUPO SI ERA UN CHICO MUY EDUCADO...

...O UN COMPLETO HIPÓCRITA.

*N. DE LA T: EN JAPÓN, LAS PANDILLERAS SUELEN DEPILARSE LAS CEJAS CASI POR COMPLETO COMO SIGNO DE REBELDÍA.

…
AQUEL DÍA
SÓLO ENTENDIÓ UNA COSA.
QUE LOS FIDEOS A LOS QUE LA HABÍA INVI-TADO ESTA-BAN MUY BUENOS.
A…
¡A MÍ NO ME TOQUES!
¿QUIÉN TE HAS CREÍDO QUE ERES?
USTED PERDONE.
ME DIJO QUE FUE COMO ECHAR-LE SAL A SUS HERIDAS.
PERO QUE AQUELLOS FIDEOS LE HABÍAN SABIDO A GLORIA…
ENTRE-CERRÓ LOS OJOS Y SONRIÓ.

Capítulo 91

A RAÍZ DE SU ENCUENTRO CON KATSUYA HONDA
FUE CAMBIANDO POCO A POCO.
¿SE ENFADARON LOS PROFES CONTIGO POR LO DEL OTRO DÍA?
POR SACARME DE ALLÍ SIN PEDIR PERMISO A NADIE.
NO... NO ESPECIALMENTE, VAMOS.
LES DIJE QUE TE ENCONTRABAS MAL Y QUE POR ESO TE HABÍA ACOMPAÑADO A TU CASA.
ADEMÁS, CUENTO CON LA INFLUENCIA DE MI PADRE.
¿LA INFLUENCIA DE TU PADRE?

AHORA ESTÁ JUBILADO, PERO ÉL TAMBIÉN FUE PROFESOR.
ESTUVO TRABAJANDO DURANTE MUCHOS AÑOS EN ESTE COLEGIO.
ERA MUY BUEN PROFESOR Y ES BASTANTE CONOCIDO.
TODOS SE HAN DESVIVIDO SIEMPRE CONMIGO PORQUE SOY "SU HIJO".
HASTA EL PUNTO QUE TODOS ESPERAN QUE YO TAMBIÉN ME CONVIERTA EN PROFESOR.
ESO... NO SUENA MUY BIEN...
NO SUENA NADA BIEN.
PERO NO TODO SON DESVENTAJAS.
SI COMETO ALGÚN TIPO DE ERROR
SIEMPRE PUEDO RECURRIR A SU INFLUENCIA.
AUNQUE HAGA DE LAS MÍAS DE VEZ EN CUANDO, NADIE ME RECRIMINA NADA.

ERES...
ERES PEOR QUE TODOS LOS DEMÁS JUNTOS.
JE JE JE
GRA-CIAS.
¡NO TE ESTABA HALAGANDO!
EN FIN... TENGO QUE APARECER POR LAS CLASES DE LA TARDE.
¿Y TÚ? ¿VAS A FALTAR OTRA VEZ?
¡PUES CLARO!
ME GUSTARÍA QUE ME VIERAS ACTUAR COMO PROFESOR AUNQUE SÓLO SEA POR UNA VEZ.
SEÑORITA SIN-CEJAS.
¡SÍ QUE TENGO CEJAS! ¡ME LAS HE PINTADO, MIRA! ¡AL MENOS PODRÍ-AS DARTE CUENTA, ¿NO?!
CLARO QUE ME HE DADO CUENTA.
SÍ...

SEÑORITA SIN-CEJAS.
QUE ...
¡¡QUE TE DIGO QUE AHORA TENGO!!
¡DEJA DE LLA-MARME ASÍ!
DEFINITI-VAMENTE, CON CEJAS ...
...ESTÁS MÁS GUAPA.
ERA UN HOMBRE ALGO FRÍO.
SU AMABILIDAD PARECÍA QUEDARSE SÓLO EN LA SUPERFICIE.
MIERDA ...
ESTÁ JUGAN-DO CON-MIGO.
ME TOMA EL PELO COMO QUIERE.
SIN EMBARGO ...

EMPEZÓ A FRECUENTAR EL COLEGIO CADA VEZ MÁS.
AUNQUE SEGUÍA SIN APARECER POR CLASE.
...ME DIJO QUE NO PODÍA EVITAR QUE LE GUSTASE.
IBA PORQUE SABÍA QUE PODRÍA VER A KATSUYA HONDA DURANTE LA HORA DE LA COMIDA.
¿CÓMO TE VAN LAS PRÁCTICAS? ¿LE CAES BIEN A LOS ALUMNOS?
YO DIRÍA QUE SÍ. SOY BASTANTE ATRACTIVO Y ME VENDO BIEN.
¡UAH!
¡LO QUE ERES ES UN MAESTRO EN ENGAÑAR A TODOS!
GRACIAS.
¡¡QUE NO TE ESTOY HALAGANDO!!

La más femenina entre las femeninas.
Me encanta dibujarla...

KAGURA

-Es hija única. Vive con su padre y su madre.
-En este punto de la historia, está en segundo de carrera (una diplomatura de dos años).
-Sus padres la quieren mucho.
-Su casa está bastante alejada del resto y de los demás miembros de los doce.
-Siempre ha sido muy maternal, se le da bien ocuparse de otros.
-Es amigable y se lleva bien con todo el mundo. Tiene sus tiras y aflojas con Rin, pero son debidos a los problemas de esta última.
-Se lleva especialmente bien con Ricchi.

← Continuará.

¡KATSUNUMA!

¿¡POR QUÉ NO APARECISTE EN LA REUNIÓN DE AYER!?

¿¡ESTÁS BUSCANDO GUERRA!?

TSK...

SI VUELVES A FALLARNOS OTRA VEZ, HAREMOS ALGO MÁS QUE LLAMARTE LA ATENCIÓN.

HUF...
KAT-SUYA...
¿SE HABRÁ DORMIDO YA?
¿QUÉ ESTARÁ HACIENDO...
...AHORA MISMO?
¿QUÉ PENSARÁ DE MÍ AHORA QUE ME HE PINTADO LAS CEJAS Y APAREZCO PARA VERLE TODOS LOS DÍAS?
¿POR QUÉ ACEPTA HABLAR CONMIGO?
SU NOVIA...
¿TENDRÁ NOVIA?
¿¡EEEH!?
¿LO DICE EN SERIO, SEÑOR HONDA?
¿¡SUS GAFAS SON DE PEGA!?

¿Y POR QUÉ SE LAS PONE SI NO LAS NECESITA!?

PORQUE CON ELLAS PUESTAS DOY MÁS LA IMAGEN DE "PROFESOR".

JA, JA, JA...

ES USTED MUY RARO.

¡VAYA MOTIVO!

MAÑANA

TERMINO LAS PRÁCTICAS.

Y ME MARCHARÉ DE ESTE COLEGIO.

VAYA...
...
ASÍ QUE TE VAS.

VAS...
¿VAS A SEGUIR SIENDO... PROFESOR?
NO.

DESDE EL PRINCIPIO, MI ÚNICA INTENCIÓN ERA SEGUIRLE UN POCO EL JUEGO A MI PADRE Y A SUS CONOCIDOS.
AUNQUE, BUENO...
TAMPOCO PUEDO DECIR QUE LO DE "ACTUAR COMO PROFESOR" ME RESULTE DEL TODO ABURRIDO.

MI PADRE ES UN HOMBRE MUY SEVERO.
ES MUY INSISTENTE CON LAS NORMAS DE CORTESÍA Y LA EDUCACIÓN ...
CASI SIN DARME CUENTA, APRENDÍ LA MANERA DE "ACTUAR" PARA QUE MI PADRE Y TODOS SUS COMPAÑEROS ESTUVIERAN SATISFECHOS.
CONSEGUÍ CONTENTARLES FINGIENDO SER ALGUIEN QUE NO SOY.
...
¿ODIAS
A TU PADRE?
NO LE ODIO... PERO PARA MÍ ERA COMO UN MURO INFRANQUEABLE.
SIN EMBARGO ...
...DESDE QUE MI MADRE FALLECIÓ... CADA VEZ ME PARECE MÁS PEQUEÑO.
HA PERDIDO TODA SU FUERZA.
ÉL TAMBIÉN ...

...SE SIENTE SOLO.
ESTOY SEGURA.
DE LO CONTRARIO...
...NO ME HABLARÍA ASÍ.
SIENTO ABURRIRTE CON MIS PROBLEMAS.
¿EH?
¡NO ME ABURRES! ¡EN ABSOLUTO!
TE LO ASEGURO...
SU MANERA DE SER HACE QUE SE SIENTA SOLO.
QUIERO CONOCERLE...
QUIERO CONOCERLE MUCHO MÁS.

SIN EMBARGO...
CHAC
JA JA JA
YA NO VOLVERÉ A VERLE MÁS.
VENÍA A DESPEDIRME.
KATSUYA.
CO...
COMO ES TU ÚLTIMO DÍA, PENSABA ASISTIR A UNA DE TUS CLASES.
PERO...

...ME DA MIEDO...
LA CLASE.
NO HAY LUGAR PARA MÍ.
A ESTAS ALTURAS, NO ME ACEPTARÁN COMO UNA MÁS.
NO QUIERO TENER QUE COMPROBARLO DIRECTAMENTE.
YA...
YA SÉ QUE YO MISMA ME LO HE BUSCADO.
Y QUE SOY UNA COBARDE, PERO...
LO SIENTO MUCHO, DE VERDAD.
DEBERÍA HABER IDO AL MENOS HOY...
TCHAC
SI TE APETECE...
TE LLEVO A DONDE TÚ QUIERAS IR, SEÑORITA SIN-CEJAS.
¿EH?

¡¡EL MAR!!
¡¡EL MAR!! ¡¡EL MAR!! ¡¡EL MAR!!
SHAAAA
PARECES UN PERRO EMOCIONADO, SEÑORITA SINCEJAS.
¡¡ES QUE ES EL MAR!!
¡¡HOLAAAA, MAAAAAR!!
CREO QUE ERES LA PRIMERA PERSONA A LA QUE OIGO DECIR ESO DE VERDAD.
ERES ...
...UNA BUENA PERSONA.
... KATSUYA ...
GRACIAS.

NO ESTARÍA YO TAN SEGURO ...
¿NO?
YO ERA COMO UN GATITO ABANDONADO.
PUES A MÍ ME LO PARECES.
Y TÚ DEJASTE QUE ME QUEDARA A TU LADO EN LUGAR DE ECHARME.
KATSUYA ...
TE QUIERO MUCHO.
VO ...
VOY A SER MÁS RESPON-SABLE.
PUEDO HACERLO.
ESTUDIARÉ ...
...E IRÉ AL INSTITUTO.

ÁNIMO.
ME DA RABIA SER TAN NIÑA.
ME DA RABIA LA MANERA EN QUE HE VIVIDO HASTA AHORA.
SI AL MENOS...
A PESAR DE LA DIFERENCIA DE EDAD...
YO HUBIERA SIDO UNA PERSONA DECENTE, COMO ESAS CHICAS...
SI FUERA UN POCO MÁS FEMENINA.
HABRÍA TENIDO LA SEGURIDAD NECESARIA PARA CONFESARLE MIS SENTIMIENTOS.
O TAL VEZ NO...
GRACIAS.
...
¿QUÉ HACES?
CUALQUIERA DIRÍA QUE NOS DESPEDIMOS DE POR VIDA.
NOS ESTAMOS DESPIDIENDO... NO VOLVERÉ A VERTE MÁS.
ERES UNA CRÍA.

!
HAY MIL SITIOS MÁS EN LOS QUE PODRÍAMOS VERNOS.
ADE-MÁS ...
EN AQUEL MOMENTO ...
EL HECHO DE QUE CREAS QUE EL MUNDO SE REDUCE A ESE PEQUEÑO COLEGIO DE SECUNDARIA
PRUEBA QUE NO ERES MÁS QUE UNA NIÑA.
...VAS A NECESITAR AYUDA PARA ESTUDIAR.

...ELLA IGNORABA LAS VERDADERAS INTENCIONES POR LAS QUE KATSUYA HONDA QUERÍA SEGUIR VIÉNDOLA.
LA ENORME ALEGRÍA QUE SENTÍA ERA SIMILAR AL TAMAÑO DE SUS DUDAS.
POCO MÁS TARDE, KAT-SUYA HONDA EMPEZÓ A TRABAJAR PARA UNA EMPRESA DE MEDICAMEN-TOS.
ME GUSTA LA INVESTIGA-CIÓN... QUE ME HAGAN PENSAR.
PUES A MÍ SE ME DA FATAL.
ESTÁS MUY GUA-PA CON EL PELO REVUELTO.
¡TE TEN-GO DICHO QUE NO ME TOMES EL PELO!
ME DA RABIA.
LA ESTUVO AYUDANDO A ESTUDIAR PARA LOS EXÁMENES.
SI PENSABAS TRAICIONAR-NOS, DEBERÍAS HABER ESTADO PREPARADA PARA ESTO.
"HASTA QUE UN DÍA, RE-CIBÍ MI CASTIGO", ME SU-SURRÓ ...
ERES UNA ESTÚPIDA.
¿DE VERDAD CREES QUE PUEDES EMPEZAR DE NUEVO?
PLIC PLOC

ME CONTÓ QUE CUANDO SE DESPERTÓ...
...ESTABA EN LA CAMA DE UN HOSPITAL.
LA VISITARON LA POLICÍA Y SU TUTOR DEL COLEGIO PARA INTERROGARLA.
SUS PADRES PUSIERON UNA EXCUSA PARA NO ACUDIR.
NO PODRÍA PRESENTARSE A LOS EXÁMENES FINALES. SIN EMBARGO, EN SU CABEZA...
DESPUÉS...
...DE TODO LO QUE ME AYUDÓ A ESTUDIAR.
YA NO PODRÉ
MIRARLE A LA CARA.
...UN ÚNICO PENSAMIENTO DABA VUELTAS Y VUELTAS...

... "ELLA SE LO HA BUSCADO".
PLAS
FUERA DE AQUÍ.
A PARTIR DE HOY, YA NO ERES UN MIEMBRO DE ESTA FAMILIA.
ES MÁS ...
...HAS DEJADO DE SER NUESTRA HIJA.
ME LO HE GANADO A PULSO. HACIENDO HASTA AHORA SÓLO LO QUE QUERÍA ...
PERO NO VUELVAS A MOLESTARNOS MÁS.
A ESTO SE LE LLAMA ...
VIVE COMO QUIERAS Y MUERE COMO TE DÉ LA GANA.
..."TENER SU MERECIDO".
ES MI CASTIGO.

¿UNOS PADRES QUE RENIEGAN DE SU HIJA ...
...SÓLO PORQUE NO RESULTA COMO ELLOS QUERÍAN?
!?
KA ...
KATSUYA ...
¿SE CREEN EN POSESIÓN DEL SABER INFINITO?
¿NO ACEPTAN A SU PROPIA HIJA SÓLO PORQUE COMETIÓ UN ERROR?
¿O ES QUE ACASO
TIENEN EL DIVINO DERECHO DE COMETER LA IRRESPONSABILIDAD DE DEJAR DE SER PADRES CUANDO QUIERAN?

¿CÓMO...?
KATSUYA...
NO IMPORTA, DÉJALO YA.
¿QUIÉN ERES TÚ? ¿POR QUÉ TE INMISCUYES EN UN PROBLEMA QUE NO TE CONCIERNE?
LAMENTO HABER EXPRESADO MI OPINIÓN SIN PRESENTARME ANTES...
SOY EL HOMBRE QUE QUIERE CASARSE CON SU HIJA.
POR LO TANTO, EL PROBLEMA ME CONCIERNE.
¿EH?
¿CASARTE?
¿CON KYOKO?
¿ESTÁS BIEN DE LA CABEZA?
ESO CREO.
MÁS QUE USTED, EN CUALQUIER CASO.
¿SE OPONE?

EN ESTE MUNDO HAY GUSTOS PARA TODO.
HAZ LO QUE QUIERAS CON ELLA, YA NO PERTENECE A NUESTRA FAMILIA.
CARIÑO...
PUEDES, MIENTRAS NO NOS CAUSES MOLESTIAS. AHORA MARCHAOS DE AQUÍ.
...ES POSIBLE QUE VENGA A VERLES DE NUEVO PARA ALGÚN ASUNTO DE PAPELEO.
CARI-ÑO...
VEN.
UH...

KA...
¡¡KATSUYA!!
...
LO... LO DE ANTES...
NO LO DECÍAS EN SERIO, ¿VERDAD?
MUY EN SERIO.
NO...
SIENTO MUCHO QUE HAYAS TENIDO QUE ENTERAR-TE DE ESA MANERA.
NO ES NECESARIO...
NO TIENES POR QUÉ HACER TANTO POR MÍ.

NO TE PREOCUPES TANTO.
PUEDES DEJARME MARCHAR.
ME BASTO YO SOLA... AHORA ESTOY BIEN.
NO... NO HACE FALTA QUE LLEGUES A SEMEJANTES EXTREMOS.
ESO SÍ QUE NO ME LO ESPE-RABA.
KYOKO ...
¿CREES QUE HE DICHO ESO SÓLO POR COMPASIÓN?
¿NO ME CREES?
¡¡ES QUE...!!
NO... ¡¡NO ENTIENDO POR QUÉ IBAS A ELEGIRME A MÍ!!
¡NO LO COMPREN-DO!
¡¡NO ME ENTRA EN LA CA-BEZA!!
PORQUE LLORASTE.

LLORASTE Y CONFESASTE QUE TE SENTÍAS SOLA.
Y ME PARECISTE MUY HUMANA.
PORQUE ME GUSTASTE...
...DESDE ESE MISMO INSTANTE.
DIJISTE CLARAMENTE LO QUE PENSABAS DE TODO LO QUE TE RODEABA.
YO TAMBIÉN HE COMETIDO ERRORES EN MI VIDA...
PERO NUNCA FUI LO SUFICIENTEMENTE SINCERO PARA LLORAR.
NO PUEDO LLORAR.

SIN EMBARGO…
AÚN NO HABÍAS CUMPLIDO LOS 16 AÑOS Y TUVE QUE CONTENERME.
PERO NUNCA TUVE INTENCIÓN DE DEJARTE IR.
!
ELÍGEME…
KYOKO.
SI AÚN NO TE LO CREES…
SI NECESITAS QUE TE CALME CON PALABRAS.
TE LO REPETIRÉ TODAS LAS VECES QUE HAGA FALTA.
PERO…
…NO QUIERO HABLARLE A LA PARED.

ELÍGEME.
KYOKO.
KATSUYA...
¿TE GUSTAN LAS LOLITAS?
¿DÓNDE HAS APRENDIDO TÚ ESO?
...
ES CULPA TUYA
POR HABER TARDADO TANTO EN NACER.

KATSUYA...
DEFINITIVAMENTE... NO VALES PARA PROFESOR.
GRACIAS.
QUE NO TE HALAGO...

MI ÚNICA OBJECIÓN ES QUE AÚN SOIS MUY JÓVENES.
POR ESO, POCO A POCO Y CON VUESTROS ACTOS
TENDRÉIS QUE DEMOSTRARLES QUE ESTÁN EQUIVOCADOS.
QUE VEAN QUE LOS DOS SOIS FELICES JUNTOS.
TENDRÉIS QUE ESCUCHAR COSAS MUCHO PEORES DE LOS QUE SE OPONEN A VUESTRO ENLACE.
...
¡¡SI NO ES NADA SEVERO!!
¡¡Y YO QUE VENÍA PREPARADA PARA QUE ME DIJERA DE TODO!!
¿OS QUEDÁIS A CENAR?
PEDIRÉ SUSHI.
YA TE DIJE QUE NO TE PREOCUPASES TANTO ...
EMPEZARON A VIVIR JUNTOS EN UNA CASA CERCA DE LA PLAYA.

Continúa. →

-Sigue enamorada de Kyo. Eso no ha cambiado mucho.
-Está luchando contra su antigua manera de ser.
-Su sueño es ser profesora de guardería. Sin embargo, actualmente, ese sueño es imposible.

Está muerto desde el principio de la historia, pero aun así, se me ha hecho muy cuesta arriba matarle directamente.

Papá Katsuya
-Eran cuatro en la familia. Su padre, su madre (que murió antes que él) y su hermana menor.
-La diferencia de edad no importa cuando hay amor (se llevaba 8 años con Kyoko).
-Tal y como afirma, era muy retorcido ya desde pequeño.

← Continuará.

PERO FUE UNA BODA...

...QUE NADIE CELEBRÓ.

LA FAMILIA HONDA SE OPUSO ROTUNDAMENTE.

CON LA ÚNICA EXCEPCIÓN

DEL PADRE DE KATSUYA HONDA.

NO HAY FELICIDAD MAYOR QUE PASAR EL RESTO DE TU VIDA CON LA PERSONA A QUIEN AMAS.

¡¡NI HABLAR!! ¡¡ME NIEGO!!
NO... NO QUIERO... NO QUIERO HACERLO.
BUENO, LA VERDAD ES QUE A MÍ NO ME IMPORTA HACERLO O NO.
PERO NUNCA HABÍA VISTO A UNA MUJER QUE SE NEGASE DE ESA MANERA A CELEBRAR SU BODA.
AAAAAGH
PRONOVIAS
¡NO ES MÁS QUE PURA PARAFERNALIA!
¡¡YO NO QUIERO ESTAR CONTIGO SÓLO PARA CELEBRAR UNA ESTUPIDEZ SEMEJANTE!!
VALE, VALE...
LOS DOS SE CASARON.

Capítulo 92

LOS DÍAS FESTIVOS...

...SIEMPRE SALÍAN JUNTOS A ALGUNA PARTE.

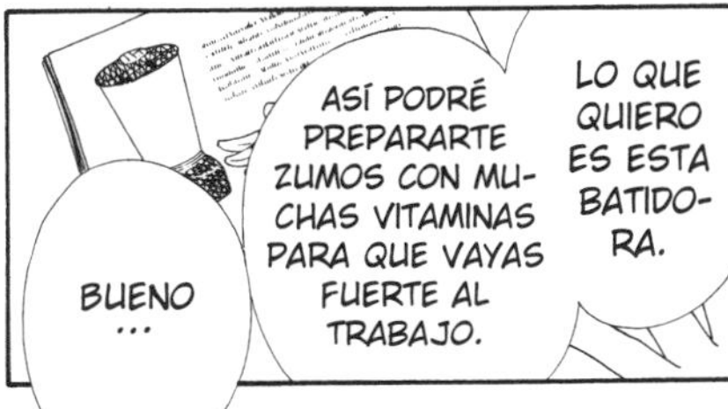

NO IMPORTABA EL LUGAR...

...MIEN-
TRAS
ESTU-
VIERAN
JUNTOS.
¿EH?
¿YA HA
VUELTO?
BIENVENIDA
A CASA
...
SEÑORITA
SIN-CEJAS.
¡YA ESTOY
EN CASA!

ERAN MUY IMPORTANTES...

...EL UNO PARA EL OTRO.

NORMALMENTE ES AL REVÉS.

NO PASA NADA PORQUE LLEGUE YO ANTES.

SHAAAF

...
¿QUÉ TE PASA?
...
ÑUG
YO NO ...
... ME ATRE-VO ...
NO ME ATREVO A TENER UN NIÑO.
ME ALE-GRO MUCHO DE HABER ENGENDRADO UN HIJO CONTIGO.
PERO ...
UN NIÑO ...
...ES UNA PERSONA ...
Y NO SÉ
SI YO ...
...TENGO DERECHO A TRAER A UNA PERSONA ...
...A ESTE MUNDO ...

NO DESPUÉS DE LA MANERA EN QUE HE VIVIDO.
¿CÓMO VOY A SER CAPAZ ...
...DE TRAER AL MUNDO A UNA PERSONA ...
...DE EDUCARLA?
¿CÓMO PODRÍA HACERLO?
¿Y SI ESTE NIÑO ES INFELIZ POR MI CULPA?
¿Y SI LE HACEN DAÑO POR CULPA DE MI PA-SADO?
¿Y SI ME ECHA EN CARA ...
¡¡YO NO TE PEDÍ QUE ME TRAJE-RAS AL MUNDO!!
¿Y SI LE HAGO DAÑO?
¿Y SI LE HAGO LLORAR?
...QUE ÉL NO PIDIÓ
QUE YO LE TUVIERA?
YO NO ...

QUÉ COSAS...
...TAN CRUELES...
...LE DIJE.
¿CÓMO DEBIÓ DE SENTIRSE MI MADRE...
...CUANDO LE RESPONDÍ CON ESA FRASE?
SI MI PROPIO HIJO ME DIJERA ESO...
YO QUERRÍA MORIRME.
FUI...
...MUY CRUEL.
¿POR QUÉ A LAS PERSONAS NOS RESULTA TAN FÁCIL...
...DECIR A OTROS PALABRAS QUE NOS HARÍAN DAÑO A NOSOTROS MISMOS?
PERO TÚ...

...YA ERES CONSCIENTE DE QUE ESE BEBÉ QUE VA A NACER
ES UN SER HUMANO.
TODO SALDRÁ BIEN, KYOKO.
TEN PRESENTE QUE ES UNA PER- SONITA.
TRÁTALO COMO QUI- SIERAS QUE TE HUBIERAN TRATADO A TI.
EVITA LO QUE TE HACÍA SENTIRTE TRISTE.
NO LO OLVIDES NUNCA.
ABRÁZALE TODO LO QUE PUEDAS,
TÓCALE, HÁBLALE.
Y CUANDO HAGA ALGO MAL ...
...EXPLÍCALE POR QUÉ ESO NO ESTÁ BIEN.
ENSÉ- ÑALE.

Y SI ALGUNA VEZ
LOS SENTIMIENTOS NOS DESBORDAN Y LE GRITAMOS O LE PEGAMOS...
...LE PEDIREMOS PERDÓN.
Y VOLVEREMOS A ABRAZARLE.
LOS DOS JUNTOS.
ASÍ...
VAMOS A CRIARLE.
NO ESTOY SOLA.

ESTAMOS LOS DOS.
...
Y YO ...
QUIERO QUE LO TENGAMOS,
SEÑORITA SIN-CEJAS.
Y ASÍ FUE
COMO VINO AL MUNDO ...
...LA QUE ME DIJO QUE ERA LA PERSONA MÁS IMPORTANTE PARA ELLA.

TOORU.

¿VIENES A DAR UN PASEO CONMIGO?
TOORU... LE HABÉIS PUESTO UN NOMBRE QUE SUELE SER DE CHICO.

KATSUYA DIJO QUE ASÍ TENDRÍA UN "SABOR OCULTO".
¿UN SABOR OCULTO?

SÍ... ES COMO CUANDO LE PONES UN POCO DE SAL A ALGO MUY DULCE. LE DA UN SABOR ESPECIAL Y DIFERENTE.
DIJO QUE LE GUSTARÍA QUE TOORU FUERA ESE TIPO DE CHICA.

BUENO...
ENTIENDO SU LÓGICA, AUNQUE NO TERMINO DE ENTENDER EL MOTIVO.
JA, JA, JA...
KATSUYA ES ASÍ.
ES MÁS FÁCIL COMPRENDER SUS ACCIONES QUE SUS PALABRAS.

¿CÓMO SE ESTÁ PORTANDO MI HIJO? ¿TE AYUDA CON EL BEBÉ?
¡SÍ!
ES UN GENIO PARA BAÑARLA. SI LE VIERAS, TE SORPRENDERÍAS MUCHO, ABUELO.
*LE LLAMA "ABUELO", AUNQUE ES SU SUEGRO.
CUANDO KATSUYA ...
CUANDO ME DIJO QUE SE CASABA,
ME ALEGRÉ DE TODO CORAZÓN.
ÉL, QUE NUNCA MOSTRABA SUS VERDADEROS SENTIMIENTOS Y PENSAMIENTOS ANTE NADIE ...
...POR FIN HABÍA LOGRADO ENTREGAR SU CORAZÓN A ALGUIEN.
...
QUÉ EXTRAÑOS SOMOS LOS SERES HUMANOS.
TRATANDO CON OTRAS PERSONAS
ABRIMOS UN MUNDO DE INFINITAS POSIBILIDADES.
COSAS BUENAS.
Y COSAS MALAS.

YO NO HE SIDO UN BUEN PADRE.
ESTUVE MUCHO TIEMPO HACIÉNDOLE DAÑO A KATSUYA... ES NORMAL QUE ME ODIE.

PERO FINALMENTE HA LOGRADO SER FELIZ.
AL ENCONTRARTE, KYOKO.

GRACIAS POR TODO...
KYOKO.

...
ABUELO...
KATSUYA NO TE ODIA.

SI TE ODIARA
NUNCA VENDRÍA A VERTE.

KYOKO.
!
AH... ¿QUÉ?
ESTÁ REFRESCANDO UN POCO. ¿LE HAS TRAÍDO LA CHAQUETA A TOORU?
SÍ, ESTÁ DENTRO DE SU BOLSA. ESPERA,
VOY A POR ELLA.

NO, DEJA. YA VOY YO.
DULCEMENTE...
Y CON CALMA...
FUE PASANDO EL TIEMPO.

SEGÚN LO QUE ME CONTÓ, POR AQUEL ENTONCES, TOORU YA ERA "TOORU".
PLAS
¡¡AAAAAA AAAAAAH!! ¡¡TOOOOO-RUUUUUUU!!
¿QUÉ PASA?
TO... TOORU... TE HE DADO EN TODA LA CARA. PERDÓNAME, HIJA.
TING
¿EH?
¿¡TE DUELE!? TE DUELE, ¿VERDAD? ¡LO SIENTO MUCHO!

UN POCO DE SANGRE TUYA Y LA TEMIBLE MARIPOSA ROJA SE DESMAYA. ¡ERES ÚNICA, TOORU!
SANGRE... TOORU... TOORU ESTÁ SANGRANDO.
DESPUÉS DEL NACIMIENTO DE TOORU, LOS TRES SEGUÍAN SALIENDO A MUCHOS SITIOS JUNTOS.
...SE LO PASABAN EN GRANDE.
LOS TRES JUNTOS...
...CON AQUELLA EXPRESIÓN TAN DULCE...
ME DIJO QUE CADA VEZ
QUE VEÍA A KATSUYA HONDA ABRAZAR A TOORU...
...SENTÍA QUE LE QUERÍA TANTO
QUE CASI LLORABA.

TANTA FELICIDAD
HACÍA QUE SINTIESE GANAS DE ECHARSE A LLORAR.
PUES SÍ.
COFF COFF
¡AH! ¿YA TE HAS VUELTO A ACATARRAR?
¿HAS IDO A VER AL MÉDICO?
YA FALTA MENOS.
NO TENGO TIEMPO PARA ESO.
PUES NO ME PARECE NADA BIEN.
ENTIENDO QUE ESTÉS OCUPADO, PERO
ESTOY PREOCUPADA POR TI. CREO QUE SERÁ MEJOR QUE VAYA.
TAC
NO, NO HACE FALTA. ADEMÁS, NO QUIERO PEGÁROSLO A TI Y A TOORU.
JE, JE...
TE PROMETO QUE IRÉ MAÑANA.
VALE...
¿QUÉ TAL ESTÁ TOORU?
DENTRO DE POCO TERMINARÁS ESE TRABAJO ALLÍ Y PODRÁS VOLVER A CASA.
BIEN, COMO SIEMPRE.
AHORA ESTÁ DURMIENDO COMO UN ANGELITO.
¿SÍ? ME ALEGRO.
COOF

ME GUSTARÍA...
...DARLE UN HERMANITO O HERMANITA...
¿SE LO HACEMOS?
¿TE APLICARÁS EN LA TAREA?
YA LO CREO.
¿SÍ?
JI, JI...
VOLVERÉ A LLAMARTE MAÑANA ANTES DE MARCHARME A CASA.
ESTÁ BIEN. TÚ ABRÍGATE Y DESCANSA, ¿VALE?
Y VE A VER AL MÉDICO.
DE ACUERDO. NO TRABAJES DEMASIADO TÚ TAMPOCO.
BUENAS NOCHES...
...SEÑORITA SIN-CEJAS.

RIIING
AH...
¡SEGURO QUE ÉSE ES PAPÁ!
¡PAPÁ!
¿¡DI-GAAAA!?
...
¿SÍ?

FUE POR LA MAÑANA...
PARA CUANDO UNO DE SUS COMPAÑEROS SE DIO CUENTA, YA ERA TARDE.
EL CATARRO SE LE COMPLICÓ DEMASIADO.
SE HA IDO DEMASIADO PRONTO.
AÚN TENÍA TODA LA VIDA POR DELANTE.
¿QUÉ ESTABA HACIENDO SU MUJER?
MIRA QUE DEJARLE SOLO CUANDO ESTABA ENFERMO.
SEGURO QUE SE HABÍA IDO DE JUERGA POR AHÍ.
POR ESO YO ME OPUSE A SU MATRIMONIO.
ME JUEGO LA MANO A QUE LE ENGAÑABA CON OTROS.
POBRE KATSUYA...
¿QUÉ PENSARÁ HACER CON LA NIÑA?
NUNCA DEBIÓ CASARSE CON ESA MUJER.
MÁS...

MÁS, POR FAVOR.
QUE SIGÁIS ACUSÁNDOME.
NECESITO QUE ME CULPÉIS MÁS.
QUIERO ...
QUE ME PISOTEÉIS.
MÁS.
ECHADME TODA LA CULPA A MÍ.
MÁS.
PARA QUE NUNCA MÁS ...
...PUEDA VOLVER A LEVAN-TARME.

INCINERARON A KATSUYA HONDA.
SE CONVIRTIÓ EN HUMO.
NO LO ASUMÍA.
DE ÉL SÓLO QUEDARON HUESOS Y CENIZAS.
Y SEGUÍA SIN ASUMIRLO.
SIENTO MUCHO QUE HAYA TENIDO QUE VENIR USTED PERSONALMENTE.
AL PRINCIPIO PENSAMOS EN RECOGERLO Y EMPAQUETARLO TODO NOSOTROS MISMOS.
PERO PENSAMOS QUE KATSUYA PREFERIRÍA QUE FUESE ALGUIEN DE SU FAMILIA QUIEN RECOGIERA SUS COSAS.
ÉSTA ERA SU HABITACIÓN.
ÑIIIIC
ESTÁ TAL Y COMO LA DEJÓ AL MORIR.

ESTARÉ AL FONDO DEL PASILLO. SI NECESITA ALGO, NO DUDE EN LLAMARME.
CHAC

PLA
UH...
...
UUUH...
UH...
NO ESTÁ.
YA NO ESTÁ.
UH...
NO ESTÁ EN NINGUNA PARTE.

NO ESTÁ...
KATSUYA...
PLAF
UH...
UU UH...
...
NO ME DEJES
AQUÍ...
NO ME DEJES
SOLA...

KATSUYA ...
YA NO ESTÁ.
NO VOLVERÉ A VERLE ...
NO ESTÁ EN NINGUNA PARTE.
NUNCA MÁS.

Capítulo 93

¿POR QUÉ
AMANECE?

¿POR QUÉ
SONRÍE ESA
GENTE?

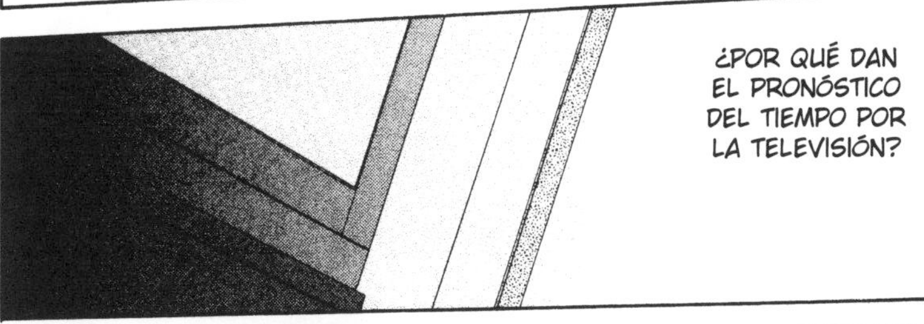
¿POR QUÉ DAN
EL PRONÓSTICO
DEL TIEMPO POR
LA TELEVISIÓN?

¿POR
QUÉ?

EL DÍA EN QUE MURIÓ KATSUYA...
...EL MUNDO DEBIÓ MORIR CON ÉL.
ME DIJO
QUE NO RECORDABA CON CLARIDAD AQUELLA ÉPOCA.
LOS DÍAS Y SEMANAS QUE SUCEDIERON A LA MUERTE DE KATSUYA HONDA.
LA DESESPERACIÓN...
...BRILLABA COMO UN CONSTANTE SOL SOBRE TODO LO QUE HACÍA.

SÓLO LLAMABA PARA ADVERTIRTE.
ES-PERO QUE NO ESTÉS PENSANDO EN VOLVER A CASA CON TU HIJA.
PORQUE AQUÍ NO HAY SITIO PARA TI.
¿ME HAS LLAMADO SÓLO PARA DECIRME ESO?
SÍ.
...
PAPÁ... HACE TIEMPO
ME DIJISTE QUE EN ESTE MUNDO...
...HABÍA PERSONAS NECESARIAS Y PERSONAS INNECESARIAS.
PUES ESO...
...ES MENTIRA
¿QUÉ ...?
CHAC
ERA FALSO.
EN REALIDAD, PARA EL MUNDO...
...NO EXISTE NI UNA SOLA...

...PERSONA NECESARIA ...
NI PADRES.
NI PROFESORES, NI GOBERNANTES.
NI NIÑOS, NI ADULTOS.
NI YO ...
NI KATSUYA.
NO HAY NI UNA SOLA PENA QUE SEA NECESARIA.
AL MUNDO LE DA IGUAL.
SIGUE ADELANTE COMO SI NADA A PESAR DE QUE ALGUIEN HAYA MUERTO.
EL MUNDO ...
LA NOCHE SIGUE CON-VIRTIÉNDOSE EN DÍA.
...NO NECESITA A NADIE.
PERO ES ALGO DEMASIADO TRISTE ...
DEMASIADO DEPRIMENTE.

POR ESO, LOS SERES HUMANOS...
...BUSCAMOS A OTROS SERES HUMANOS.
NO HAY DUDA.
QUEREMOS NECESITAR A OTROS. QUEREMOS SENTIRNOS NECESITADOS.
Y CONOCER A ALGUIEN ESPECIAL.
PARA MÍ, KATSUYA ...
...ERA ESE ALGUIEN.
YO LE NECESITABA.
LE QUERÍA.
ERA "MI SER HUMANO" Y POR FIN LE HABÍA ENCONTRADO.
KATSUYA ...

BIENVENIDA...

VAYA A DONDE VAYA...

YA NO HABRÁ NADIE QUE ME RECIBA.

CLIC

ASÍ ES...

NOTO UNA FUERZA MUY PODEROSA A TUS ESPALDAS.

¿EH?

¿QUÉ...?

TRANQUILA, NO TIENES NADA QUE TEMER.

CREO QUE ES TU DIFUNTO MARIDO.

¿EH...?

¿ESTÁ AQUÍ?

SÍ... HA VENIDO A VERTE.

UUH...

¿ES CIERTO? ¿SU MARIDO FALLECIÓ?

SÍ, ESTABA ENFERMO...

UUUH...

TU MARIDO SIGUE PREOCUPADO POR TI.
NO PUEDES PASARTE LA VIDA LLORANDO.
TAC
QUIERO IR CON ÉL.
DEBES REPONERTE. ÉL TE ESTÁ CUIDANDO DESDE DONDE ESTÁ.
¿DÓNDE ESTÁ?
¿ADÓNDE DEBERÍA IR PARA VERLE?
YO TAMBIÉN QUIERO VERLE...

PARA
...
...MAR-
CHARME
CON ÉL
PLAF
SHAAF
SHAAF

SEÑORITA SIN-CEJAS ...
¡MAMÁ!
AH

ESPERA, ¿DÓNDE HE PUESTO LOS BILLETES?
¡DATE PRISA, MAMÁ!

TOORU...

UH...

¿CUÁNDO FUE LA ÚLTIMA VEZ...

ZAS

...QUE HABLÉ CON ELLA?

NO LA HE OÍDO HABLAR, ¿ME HA DICHO ALGO?

¿Y LAS COMIDAS?

¿HA ESTADO COMIENDO?

TODO ESTÁ CONFUSO...

NO LOGRO RECORDARLO.

ME PARECE QUE EL ABUELO HA VENIDO VARIAS VECES...

TOORU...

¡TOORU!

PLAF

...
AH ...
BIEN-VENIDA ...
MAMÁ ...

UH...
YA...
YA ESTOY...
PERDÓNAME...
YA ESTOY EN CASA.
LO SIENTO.
LO SIENTO.
MAMÁ YA ESTÁ EN CASA.
¿POR QUÉ...?

¿POR QUÉ SOY TAN ESTÚPIDA?
¿POR QUÉ SIEMPRE ...
...TENGO QUE TOCAR FONDO ...
...ANTES DE ENCONTRAR UNA RESPUESTA?
SIENTO HABERTE HECHO ESPERAR.
LO SIENTO MUCHO.
MUCHAS GRACIAS ...
...POR ESPERARME TODO ESTE TIEMPO.

...NO TE NECESITA.
PERO PUEDES SEGUIR VIVIENDO POR LAS PERSONAS QUE SÍ LO HACEN ...
Y POR LAS QUE TÚ NECE-SITAS.
AL MENOS ...
... EN MI CASO.
EL MUNDO ...

DESPUÉS DE AQUELLO, NOS MUDAMOS Y NO RESULTÓ NADA FÁCIL...
¡PERO MANTENERME OCUPADA ME AYUDÓ MUCHO!
¡ADEMÁS, TENÍA A TOORU CONMIGO!
AUNQUE UN POCO MÁS Y ME RETIRAN LA CUSTODIA...
MENOS MAL QUE EL ABUELO INTERVINO A MI FAVOR.
¿QUÉ SERÁ "LA CUSTODIA"?
HUMM...
¡LO DIGO EN SERIO! ¡TOORU ES LA NIÑA MÁS MONA DEL MUNDO! ¡QUÉ DIGO DEL MUNDO, DEL UNIVERSO ENTERO!
¿Y NO HAS VUELTO A PENSAR NUNCA...
...EN VOLVER A VER A KATSUYA HONDA?

...EN ENCONTRAR VUESTRA RESPUESTA.
ME PREGUNTO
SI VOSOTROS OS PERDERÉIS.
Y CUÁNTO TIEMPO TARDARÉIS...

CUANDO ME DIJO AQUELLAS PALABRAS
NO LAS ENTENDÍ
ENTONCES NO ERA MÁS QUE UN NIÑO.
AÚN MÁS
DURANTE TODA MI VIDA, HABÍA SENTIDO QUE HABÍA NACIDO PARA SER DESPRECIADO.
QUE EXISTÍA SÓLO PARA HACER DAÑO A OTROS.
¿QUÉ OTRA COSA IBA A PENSAR?
POR ESO SE HABÍA MATADO MI MADRE, ¿NO?
AL FINAL, SÓLO BUSCABA QUE LA GENTE ME CULPARA.
PERO TÚ...
...ME SONREÍSTE.
Y POR ESO...
...TE ODIÉ.

PLAFF
ARF
ARF
ARF
UGH...

NO ES CULPA TUYA, KYO.
TÚ NO HAS HECHO NADA MALO.
PERO
NO DEBES SALIR A LA CALLE.
VEN A CASA CON MAMÁ.
TIENES QUE HACER TODO ...
FUERA HAY MUCHAS COSAS MALAS.
VIVI-REMOS ALLÍ ...
...PARA SIEMPRE.
UH ...
...LO QUE YO TE MANDE, HIJO.

NO TE LO PERDONARÉ...
TÚ MADRE TE ESTÁ ESPERANDO.
ENTRA EN CASA DE UNA VEZ.
DE LO CONTRARIO...
...OCURRIRÁN COSAS MALAS.

JA
JA
JA
JA
JA
JA
JA
ESTO YA ESTÁ.
¡TOORU!
EN FORMA DE BOLA DE ARROZ.
¡AH! ¡MUCHAS GRACIAS!

NO SÉ YO SI CON ESA FORMA SE HARÁN BIEN ...
JO ...
¡SEGURO QUE SALEN MUY RICAS!
TÚ DÉJA-MELO A ...
¿¡KYO!?
¿¡QUÉ TE HA PASADO, KYO!? ¡¡ESTÁS PÁLIDO!!
¿QUÉ OCURRE? ¿TE ENCUEN-TRAS MAL? ¿¡ESTÁS ENFERMO!?
ES QUE ACABO DE DES-PERTAR-ME.
NO ...
AH
¡AAAAH!
¡YA LO ENTIENDO! ¡HAS TENIDO UNA PESA-DILLA!
¡ESO TE PASA POR DORMIRTE A HORAS RARAS!
AGH... PUEDE SER.

PUES ...
¿CÓMO LO DIRÍA ...?
ESTO ...
ES ESO, KYO
DICEN QUE TRAE SUERTE CONTARLE A OTROS LAS PESADILLAS QUE SE TIENEN.
¿QUÉ CLASE DE SUEÑO ERA?
¿EH?
?
¿QUÉ ERA...?
AH-...
¿EH?
DÉJALO, TOORU...
LE ESTÁS PONIENDO EN UN APURO.
OL ...
¡OLVÍDAME! ¡DA IGUAL, YA ME HE DESPERTADO!
¡UAH! ¡KYO SE HA MOSQUITEADO!
SE DICE "SE HA MOSQUEADO".
TAL VEZ LO SOÑARA ...
POR LO QUE ESTABA PENSANDO.
PARA DARME UNA PISTA.

PARA QUE NO ME EQUIVOQUE.
PARA QUE NO ME HAGA ILUSIONES.
¿NO SERÁ QUE...
...TOORU TAMBIÉN...
...EMPIEZA A CORRESPONDER A MIS SENTIMIENTOS?
ME NIEGO A TENER SEMEJANTES IDEAS.
QUÉ VERGÜENZA...
YA SÉ QUE NO TENGO NINGÚN DERECHO.
NO HACE FALTA QUE UN SUEÑO ME LO CONFIRME.
NO SERÁ...
ESO NO PUEDE SER.
NO ME ACERCARÉ MÁS A ELLA.
KYO... ¡KYO!

HOY TENEMOS HAMBURGUESA PARA COMER.
HE HECHO UNA EN FORMA DE GATO PARA TI.
AH...
PERO SI TE ENCUENTRAS MAL, PUEDO PREPARARTE ALGO MÁS LIGERO.
NO TENGAS TANTA PRISA EN DECLARARME ENFERMO.
ESTOY BIEN.
¡AYÚDANOS TÚ TAMBIÉN, KYO!
VALE, VALE...
NO HACE FALTA GRITAR.
SERÁ MEJOR...
...QUE DEJE DE PENSAR EN POSIBILIDADES ABSURDAS.
SON SIMPLES FIGURACIONES MÍAS.
DEBO OLVIDARLO.

¡TOORU!

¿LAS PONEMOS YA EN LA SARTÉN?

¿EH?

¡SÍ!

¡PON EL FUEGO FUERTE!

YA SÉ, YA SÉ. ♡

OLVIDARLO.

...TE PIERDES ALGUNA VEZ EN EL CAMINO ...

...NO ERES CAPAZ DE ENCONTRAR TU PROPIA RESPUESTA.

Capítulo 94

DEFENSA DEL
ELECCIÓN DE
DE LOS
NEGRO
DECIDME QUÉ COLOR OS GUSTARÍA SER.
¡NI HABLAR! ¡¡YO QUIERO SER EL ROSA!!
KURAGI...
¿QUÉ COLOR PREFIERES TÚ?
CUANDO ME HIZO AQUELLA PREGUNTA...
...NO SUPE QUÉ ME ESTABA PREGUNTANDO, QUIÉN ERA ÉL NI QUIÉN ERA YO.

Sala del consejo
ME QUEDÉ COMPLETAMENTE EN BLANCO.
HEMOS TERMINADO CON EL GRUESO DEL TRABAJO DE ESTE AÑO.
PLAS
UUF...
POR FIN...
¡BUEN TRABAJO, YUN-YUN!
HEMOS TERMINADO POR HOY, ¿NO? ♡
¡NO SEAS AGUAFIESTAS!
CLONC
¡¡AGH!!
ESTOY HECHO POLVO...
NO OLVIDÉIS QUE TODAVÍA NOS QUEDAN ALGUNOS ASUNTOS PENDIENTES.
¡¡PERO SI TÚ NO ESTABAS HACIENDO NADA!!
¡CARADURA!
CLARO QUE ESTABA HACIENDO ALGO.

¡SI NO, YA ME HABRÍA LARGADO HACE TIEMPO!
¡SIN PRO-BLE-MAS!
¡¡TENDRÁS CARA!!
YA VALE...
¡YO! ¡YO! ¡YO! ♥
¡YA HEMOS ACABADO LO MÁS GORDO, ¿NO?!
TAC
¡HAN ABIERTO UNA CAFETERÍA MUY CUCA CERCA DEL INSTI, ¿SA-BÍAIS?!
¡TIENEN UN MENÚ DE MEDIODÍA MUY ECO-NÓMICO, Y MAÑANA NO HAY CLASE!
¡PRO-PONGO QUE MAÑA-NA VAYA-MOS TODOS JUNTOS A CELEBRARLO A ALGÚN SITIO!
¿A CELE-BRAR-LO?
ADEMÁS, NO ME DI-GÁIS QUE NO OS MORÍS DE GANAS POR LLEVARME ALLÍ.
ME HE DADO CUENTA. ♥
¿DE QUÉ SE HA DADO CUEN-TA?
Y ENCIMA SE PONE COLORADA...

Continúa. →

-Durante mucho tiempo, mantuvo una relación tirante con su padre, aunque nunca llegaron a pelearse.
-Desde la muerte de su madre, apenas se veían. Cuando va a verle con Kyoko en el capítulo 92 hacía mucho tiempo que no pasaba por su casa.
-Decidió entrar a trabajar en una empresa farmacéutica porque quería investigar el origen de la enfermedad que acabó con la vida de su madre.
-Dado que su padre estaba calvo como una bola de billar (risas), temía que él también iba a quedarse calvo en el futuro.
-Al menos, eso pensaba. (Ahora está muerto y no hay manera de saberlo.)
-Al principio, no dibujaba la cara de Katsuya con claridad y hubo gente que incluso llegó a preguntarme si el padre de Kyo y el de Tooru no serían la misma persona. (¿De dónde sacáis esas ideas? ꞌꞌ)
-Desde que dibujé la historia de Katsuya, me derrito con las figuras paternas. Incluso en los juegos.

JI JI JI

NO PASA NADA SI NO VIENES, MACHI. TAMPOCO SI NO VIENEN NI NAO NI KAKERU. NO OS MOLESTÉIS

¿EH, ♡ YUN-YUN? ♡

EH...

TE ESTÁS PASANDO.

ENTONCES, SERÍA UNA CITA,

NO UNA CELEBRACIÓN EN GRUPO.

...

YO... NO IRÉ.

¿EH? ¿POR QUÉ? ¿YA TIENES PLANES PARA MAÑANA?

NO...

?

¿NO TE GUSTA EL SITIO?

AH...

¿PREFIERES IR A OTRA PARTE?

OTRA VEZ.

AHORA TAMPOCO ENTIENDO...

...LO QUE ME PREGUNTA.

NO CONSIGO RECORDAR QUÉ PASÓ LA ÚLTIMA VEZ.

NO...

NO ES NECESARIO QUE TE TOMES TANTAS MOLESTIAS POR MÍ.

ADEMÁS...

NO CREO QUE MIS GUSTOS PERSONALES SEAN ALGO QUE TE INCUMBA, SOMA.

...

TIENES RAZÓN.

PERDONA.

YO SÓLO...

...ME PREGUNTABA CÓMO VEÍAS EL MUNDO...

...MACHI.

¡¡YA LE SALIÓ EL MONSTRUO DE LA NATURALIDAD!!
¡¡UAAAAAAAH!!
¿¡Y AHORA QUÉ PASA!?
¿¡POR QUÉ TE METES CONMIGO DE REPENTE!?
¡¡ME DA MIEDO ESA NATURALIDAD!! ¡¡ES DEMASIADO!! ¡¡NADIE DICE ESAS COSAS NORMALMENTE!!
¡PUES YO NO VEO QUÉ TIENE DE RARO! ¿¡QUIERES COBRAR O QUÉ!?
MAMÁ, QUÉ MIEDO...
¡ENCIMA DE NATURAL, VIOLENTO!
CHICOOOS.♥
OS HE APUNTADO LA HORA Y EL LUGAR DONDE QUEDAMOS MAÑANA.
EHH...
VALE, LO TENGO.
LO TENGO.
¿LO TIENES, KAKERU?
¡YO ME VOY YA, QUE TENGO UNA CITA!
JI JI ♥
MACHI.
TOMA, ES AQUÍ.
YO ME VOY AL CURRO.

CLARO... SE ME OLVIDABA QUE ERES UNA PRINCESITA, YUN-YUN.
TE DESMAYAS SI TIENES QUE MEZCLARTE CON EL VULGO.
¡JA, JA, JA!
¿ESTÁ MUY CONCURRIDO ESE SITIO DONDE HEMOS QUEDADO?
AH, SÍ...
¿EH? YO DIRÍA QUE ES NORMAL.
EXACTO... PORQUE A MÍ ME HAN EDUCADO BIEN, NO COMO A OTROS.
ÑUG ÑUG
ÑUG ÑUG
TE ENVIDIO...
TÚ NUNCA HAS ANDADO POR EL METRO EN HORA PUNTA, ¿VERDAD?
...
¡DEJAD DE HACER EL TONTO Y VÁMONOS DE UNA VEZ!
¡NOS VAN A CERRAR EL PORTÓN DE ENTRADA!
VALE, VALE...
VAMOS, YUKI.
VALE.
HASTA MAÑANA, MACHI.
¡ADIÓS!

TRRR
TRRR
TRRR
TAP
TRRR
TRRR
TRRR
BIP
¿DIGA?

¿MACHI?
HAS TARDADO MUCHO EN COGERLO.
¿ESTABAS FUERA?
CON EL CONSEJO DE ALUMNOS.
AH, ES VERDAD, QUE TE HABÍAS METIDO EN ESO.
¿TODO SIGUE COMO SIEMPRE?
¿SIGUE IGUAL?
¿Y QUÉ TAL TE VA?
COMO...
¿HAS HECHO ALGÚN AMIGO?
¿QUÉ TAL ESTÁ KAKERU?
¿TE LLEVAS BIEN CON ÉL?
...SIEMPRE.

¡ESE CHICO NO PUEDE SER MEJOR QUE TÚ!
¡NO TE PERMITAS NI UN SOLO FALLO!
TIENES QUE SER PERFECTA.
ES UNA NIÑA SOSÍSIMA.
¡NO TE ACERQUES!
NO HABLES COMO SI LA CULPA FUERA MÍA.
MA-CHI...
MACHI...
...¿YA VUELVES A QUEDARTE MUDA?
NO SÉ EN QUÉ ESTARÍA PENSANDO. NO VAS A CAMBIAR NUNCA, MACHI.
UUF
POR ESO ERES TAN ABURRIDA Y NO CONSIGUES HACER AMIGOS.
¡MAMÁ!

YA VOY, CARIÑO, YA VOY.
BUENO, MACHI, TE DEJO.
ESPERO QUE LA PRÓXIMA VEZ ME CUENTES ALGO.
ADIÓS.
CHAC
TUUT
TUUT
TUUT
¿"ABURRIDA"?
ES LA VERDAD...
SOY ABURRIDA.
NO SÉ CUÁL ES MI COLOR FAVORITO.
NI SIQUIERA ME HE PARADO A PENSARLO.
O A QUÉ SITIOS ME GUSTA IR.
SIEMPRE ME HABÍA CENTRADO EN RESPONDER A SUS EXPECTATIVAS.
HASTA QUE ME APARTARON DE SU LADO.

Y ME DEJARON CON ESTA CÁSCARA VACÍA QUE ES MI "YO".
UNA PERSONA ABURRIDA ...
ÉL SÍ QUE HA CAMBIADO.
POCO A POCO.
NO HA CAMBIADO NADA DESDE ENTONCES.
PERO ÉL ...
MIRA, MIRA.
FÍJATE BIEN.

ESE CHICO DE AHÍ ES YUKI SOMA.
EL DE EN MEDIO.
¡UAAAAAH!
¡ES GUAPÍSIMO! ¡PARECE MENTIRA QUE UN CHICO TENGA UNA CARA TAN PRECIOSA!
NO SABÍA QUE HABÍA GENTE ASÍ ...
LE LLAMAN "EL PRÍNCIPE". ¡Y NO ME EXTRAÑA!
¿TÚ CREES QUE SALDRÍA CONMIGO?
¿¡QUÉ DICES!? ¡NI POR CASUALIDAD!
EL PRÍNCIPE PODRÍA TENER A CUALQUIERA, POR ALGO LE LLAMAN "EL PRÍNCIPE".
EN FIN, SIEMPRE ESTÁ RODEADO DE GENTE.
ÉSE NO TENDRÁ QUE PREOCUPARSE NUNCA POR SENTIRSE SOLO.

PARECÍA PERDIDO.
CADA VEZ QUE LE TRATABAN COMO "EL PRÍNCIPE"...
...SENTÍA QUE IRRADIABA SOLEDAD.
ASÍ ES COMO LE VEÍA.
EN CAMBIO, AHORA...
...SE RÍE DE CORAZÓN.
ESTÁ CAMBIANDO.
ESTOY SEGURA.
"NO VAS A CAMBIAR NUNCA, MACHI."
"POR ESO ERES TAN ABURRIDA Y NO CONSIGUES HACER AMIGOS."

BIP
...
ME HE DORMIDO.
BIP
BIP
YA ES DE DÍA.
¿QUÉ ME PONGO?
COGERÉ LA BOLSA.
EL MISMO UNIFORME ESTARÁ BIEN.
FRUS FRUS
...
QUÉ PEREZA...
¿QUÉ HAGO?
¿DEBERÍA IR CON ELLOS?
VOY A DUCHARME...
ES LA PRIMERA QUE VEZ QUE VEO A GENTE DEL INSTITUTO FUERA DEL INSTITUTO.

DICE COSAS...
MUY RARAS.
¿QUE QUERRÁ DECIR CON ESO DE "EL MUNDO"?
¿CÓMO VEO...
... EL MUNDO?
NI SIQUIERA ME ENTIENDO A MÍ MISMA.
¿CÓMO VOY A SER CONSCIENTE DEL MUNDO?
SIEMPRE ME QUEDO EN BLANCO.
YO MISMA SOY UNA HOJA EN BLANCO.
A VECES ME SIENTO COMO UNA MUÑECA MECÁNICA...
NO TENGO NADA.

UNA MUÑECA ROTA QUE TODOS RECHAZAN.
DEFECTUOSA.
TODOS PASAN DE LARGO.
Y YO HAGO LO MISMO.
¿SON LOS DEMÁS INVISIBLES?
¿LO SOY YO?
¿SOY YO LA QUE NO PARTICIPA EN EL MUNDO?
¿O SON LOS DEMÁS?
¿ALGUIEN ...
...ME NECESITA?
¿SOY UNA PERSONA NECESARIA?
YO ...

¿SOY NECESARIA PARA EL MUNDO?
¡MACHI!

¡QUÉ BIEN!
PENSABA QUE HABÍA LLEGADO DEMASIADO PRONTO.
¡MENOS MAL ...
...QUE ESTABAS TÚ, MACHI!

FAS
¡UAH!
¿¡MACHI!?
PLAS
PAAF

ES...
¿¡ESTÁS BIEN!? SIENTO NO HABERTE SUJETADO...
¿TE HAS HECHO DAÑO?
...
ESTOY BIEN...
SE TE HA SALIDO TODO DE LA BOLSA.
SERÁ MEJOR QUE NO TE DEJES NADA TIRADO.
...
CHAAAS
¿POR QUÉ LLEVAS UN PELAPATATAS?
ESTA MAÑANA
ESTABA MEDIO DORMIDA Y
HE METIDO LO PRIMERO QUE ENCONTRABA.
¿Y ERA UN PELAPATATAS?
AH... NO HACE FALTA QUE LO RECOJAS TÚ,
YA LO HAGO YO.
MACHI...

ESTO ...
UH ...
¿NO ES LA HOJA QUE TE TRAJE COMO RECUERDO DE KYOTO?
DÁMELA ...
¡¡MIERDA!!
PLAS
NI SIQUIERA ME HE DADO CUENTA DE QUE LA METÍA.
FRUS
FRUS
AH ...
¿NO ES LA MISMA?
ZAS
¡¡NO!!
AH, PERDONA ...
YA DECÍA YO ...
PAF
PAF
...
NO HE DICHO QUE NO LO SEA ...
¿¡EN QUÉ QUEDAMOS!?

NO ...
NO LO HE HECHO POR NADA EN ESPECIAL.
DE HECHO PENSÉ EN TIRARLA, PERO ...
ME HICE UN PUNTO DE LIBRO CON ELLA ...
NADA MÁS.
GRACIAS.
¿POR QUÉ ...?
¿EH? PUES POR APRECIAR TANTO MI REGALO.
ME ALEGRO MUCHO.

UH...
YO...
¿¡EH!?
¡¡YO NO HE DICHO QUE LO APRECIE!!
¡ES UN PUNTO DE LIBRO!
¡¡SÓLO SIRVE PARA MARCAR LA PÁGINAS DE UN LIBRO AL CERRARSE!! ¡¡ESO NO ES HACER APRECIO A NADA!!
¡PERO ESTÁS USANDO LA HOJA ASÍ PORQUE TE GUSTÓ, ¿NO?!
¡¡NO, NO ME GUSTA!! ¡¡ES DEMASIADO GRANDE Y DIFÍCIL DE USAR!! ¡¡TE LA DEVUELVO!!
¡¡NO ME LA DEVUELVAS!!

VAYA, VAYA...
NO SÉ SI PREGUNTAROS QUÉ HACÉIS O IMAGINÁRMELO YO MISMO.
¿FINJO QUE NO OS HE VISTO?
PRE-GUNTA.
¡NO TE VAYAS Y PRE-GUNTA!
¿QUÉ HACÉIS?
LA CULPA ES DE MACHI...
¡¡ES TOZUDA COMO UNA MULA!!
¿LA CULPA DE QUÉ?
¡¡ESTO NO VA CONTIGO, MANABE!!
¿EH?
¿Y ESO?
¿NO ES LA HOJA QUE TE TRAJO YUN-YUN DE KYOTO?
¡¡QUE NO!!
¡¡VALE, SÍ!!
¿EN QUÉ QUEDAMOS?

VAYA...
ASÍ QUE TE GUSTAN LAS HOJAS SECAS, MACHI...
¡OLVÍDAME!
AH, ENTONCES...
¿ES ESO?
¿TE GUSTA EL ROJO?
EL ROJO OSCURO DE LAS HOJAS.
SUELES LLEVAR CINTAS ROJAS EN EL PELO.
¿VERDAD?
POR FIN...
...TENGO UNA RESPUESTA A MI PREGUNTA.
SE ACORDABA...
¡AHÍ VA!
¿¡QUÉ HACES CON EL UNIFORME, MACHI!?
¡EH! ¡ESTAMOS AQUÍ!
LE HA TRAÍDO A RASTRAS.
AH, ES VERDAD.
¿HAS PASADO POR EL INSTITUTO ANTES DE VENIR?
NO LO SÉ...
¿QUE NO LO SABES?
¿Y ESO?
MIRA QUE ERES RARA.

MARA...
ME HE LLEVADO UNA BUENA SORPRESA.
ES LA PRIMERA VEZ QUE VEO A MACHI ASÍ.
¿EH?
ESTABA TAN FURIOSA QUE HASTA SE HABÍA PUESTO ROJA.
CUANDO HE LLEGADO.
YA...
ESTABA MUY MONA...
TAN EMPEÑADA CON LO DE LA HOJA.
¡¡LA PRINCESA-VIEJO DE LA NATURALIDAD ATACA DE NUEVO!!
UAAA
AH
AHORA SÍ QUE NO ENTIENDO NADA DE NADA...
¿QUÉ SE SUPONE QUE SOY AL FINAL?
RARA...

UNA PERSONA... RARA ...
ASÍ QUE TE GUSTA EL ROJO, ¿EEEH?
?
VAYA CON MACHI ...
PLAF
¿EEEEEEH? ♥
MACHI, ¿NO ME DIGAS QUE...?
PLAAF
KURAGI, NO DESTROCES LA CAFETERÍA.
UY, QUÉ MIEDO.
EL ROJO, SÍ SEÑOR.
¿DE QUÉ ESTÁIS HABLANDO?

Capítulo 95

ESTO...
PER-MÍTAME...
...QUE VUELVA A DARLE LAS GRACIAS.
YA SÉ QUE NO SOY DE LA FAMILIA...
...PERO GRACIAS POR ACO-GERME EN SU CASA.
NO HAY DE QUÉ.

ME ALEGRO DE TENERTE AQUÍ. NO TENGO GRAN COSA QUE OFRECERTE.
PERO ESPERO QUE ESTÉS CÓMODA.
POR...
POR SUPUESTO. ES UN ORGULLO PARA MÍ...
CUALQUIERA DIRÍA QUE TOORU ES UNA RECIÉN CASADA QUE VIENE A VIVIR A CASA DE SUS SUEGROS.
¿¡EEEEH!?
¡¡ES UN MALENTENDIDO!! ¡¡NO ERA MI INTENCIÓN!!
¡¡SÓLO LE DABA LAS GRACIAS POR DEJAR QUE ME QUEDE AQUÍ EN NOCHEVIEJA Y AÑO NUEVO!!
YA LO SÉ, ERA BROMA.
ADEMÁS, EL MAESTRO YA TIENE A HANA PARA...
¡¡NO LO DECIDAS POR TU CUENTA!!
¡Y NO LO MENCIONES!
ÑUG
TE ENSEÑARÉ TU HABITACIÓN.
ESTE AÑO, ME HAN INVITADO A CASA DEL MAESTRO.
FALTAN POCAS HORAS PARA AÑO NUEVO.

LA CUESTIÓN SURGIÓ A RAÍZ DE UN COMENTARIO DE YUKI.
ESTOY PENSANDO EN VOLVER A LA CASA PRINCIPAL ESTA NOCHEVIEJA.
¿¡¡EH!!?
¿EN SERIO?
SERÁ SÓLO POR UNA NOCHE. VOLVERÉ LA TARDE DEL DÍA DE AÑO NUEVO.
...
¿A QUÉ VIENE ESO, YUKI? TÚ VOLVIENDO A LA CASA POR VOLUNTAD PROPIA...
¿TE HAS GOLPEADO LA CABEZA O ALGO?
PARA NADA.
¿TE PARECE BIEN?
CLARO.

PUES...
YA QUE VUELVES, ES UNA PENA QUE NO TE QUEDES UN POCO MÁS.
...
SÍ, PERO... LA IDEA DE DEJARLOS A LOS DOS SOLOS...
BESTIA...
¡ERES UNA BESTIA!
¿¡QUIERES QUE TE MATE O QUÉ!?
?
LOS DOS
¡NO TE PREOCUPES, TOORU! ¡URDIRÉ UN PLAN PARA ALEJARTE DE LAS LASCIVAS GARRAS DE ESA BESTIA DIABÓLICA!
¿EH?
BESTIA...
¡¡OS LA ESTÁIS GANANDO LOS DOS!! ¡¡AQUÍ VA A HABER UN ASESINATO MÚLTIPLE!!
Y ASÍ...
EL ASUNTO SE SOLUCIONÓ SIN QUE YO ME ENTERASE MUY BIEN DE QUÉ PASABA.
POR SUPUESTO.
CON MUCHO GUSTO.
Y DECIDIERON QUE PASARÍAMOS ESA NOCHE EN CASA DEL MAESTRO.
MAESTRO...

¿QUÉ LE GUSTARÍA CENAR ESTA NOCHE?
¡ME PONDRÉ MANOS A LA OBRA EN SEGUIDA!
YA SE ME HACE LA BOCA AGUA.
HE PASADO...
...MUCHAS NOCHEVIEJAS CONTIGO, KYO...
PERO TENER A TOORU AQUÍ TAMBIÉN ES UNA ALEGRÍA PARA TI, ¿VERDAD?
VOY A HACER LA CENA.
...
SI LE DIGO QUE NO LO ES, ESTOY MINTIENDO, PERO SI ADMITO LA VERDAD ME PONDRÉ EN UNA SITUACIÓN COMPROMETIDA. LO ÚLTIMO QUE NECESITO ES QUE SE ENTERE DE LO QUE SIENTO EN REALIDAD. ADEMÁS...
YO SE LO DECÍA EN BROMA, PERO PARECE QUE SE LO HA TOMADO MUY EN SERIO.
¿LE HABRÁ PASADO ALGO?
AH...
POR CIERTO...
OLVIDABA DECIROS QUE TENEMOS MÁS COMPAÑÍA.
¿COMPAÑÍA?
¿QUIÉN ES? ¿KUNIMITSU?
NO.
ÉL CELEBRA LAS FIESTAS EN SU CASA.

TOC TOC
CON PERMISO ...
CHAC
ISUZU.
I ...
¡ISUZU!
CH CH AN

ZAS
PLAAF
NO... ¡NO TE ME TIRES ENCIMA DE GOLPE, SO TONTA!
LO...
LO SIENTO...

NO, NO ES QUE SE LLEVEN MAL.
ES QUE NO SE LLEVAN BIEN.
AH, CLA...
...¿RO?
¿EH?
¿AH?
PUES ISUZU...
...NO ME COMENTÓ NADA CUANDO FUI A VERLA EL OTRO DÍA AL HOSPITAL.
YA... LE DIERON EL ALTA PROVISIONAL, POR LAS FIESTAS.
PERO PARECE QUE NO QUERÍA IR A LA REUNIÓN DE LOS DOCE.
LA VI MARCHARSE Y LE PROPUSE QUE VINIERA CONMIGO.
SI AHORA SE PASA TODA LA NOCHE FUERA Y SE PONE PEOR, NO HABRÁ SERVIDO DE NADA SU ESTANCIA EN EL HOSPITAL.
ENTIENDO...
...
A ESTAS ALTURAS, YA HABRÁN EMPEZADO
SU REUNIÓN...
HACE RATO, ADEMÁS.

ME PREGUNTO...
CÓMO ESTARÁN PASANDO LOS DEMÁS LA REUNIÓN DE AÑO NUEVO.
SOMA
HUM...
ZAS
¡¡TORI!!
¡¡HAS ESTADO ESTUPENDO, HATORI!!
...
HA SIDO UNA ACTUACIÓN MAGNÍFICA, MARAVILLOSA. LA INOCENCIA DE MOMIJI Y TU SOBRIEDAD SE HAN COMPENETRADO A LA PERFECCIÓN, CREANDO UNA IMAGEN DE ARMONÍA Y SERENIDAD NUNCA VISTAS ANTERIORMENTE. HUELGA DECIR QUE LOS SENTIMIENTOS QUE HABÉIS CREADO EN MI PERSONA AL CONTEMPLAR VUESTRO ESPECTÁCULO NO SON OTROS QUE ADMIRACIÓN...

¡¡Y ANSIAS DE ABRAZAROS!!
¡¡SÍ!!
POR LO QUE MÁS QUIERAS, NO HAGAS QUE ME SIENTA MÁS DEPRIMIDO DE LO QUE YA ESTOY.
¡BUEN TRABAJO, HAT!
ZAS
¡CÁLLATE!
POR SUERTE, SE ACABÓ ESA PESADEZ DEL BAILE...
¡AUNQUE EL AÑO QUE VIENE, VUELVE A TOCARTE A TI!
¡NADA MÁS CIERTO! ¡Y YO SERÉ SU COMPAÑERO EN TAN FELIZ ACONTECIMIENTO!
¡¡TODOS DESEARÁN ABRAZARNOS!!
AAYA, HARÍAS REÍR AL MISMÍSIMO DIABLO.
¡YA ESTÁ BIEN DE TONTERÍAS! ¡VUELVE DENTRO!
?
EN FIN...
SÍ QUE TE HAS DADO PRISA EN CAMBIARTE, HAT.
YUKI TAMBIÉN HA VENIDO.

BIS BIS
YO QUERÍA SACARTE UNA FOTO VESTIDO CON ESE PRECIOSO TRAJE DE BAILARÍN PARA ENSEÑÁRSELA A MAYU.
QUÉ BOBADA, NI QUE A MAYU LE IMPORTASE QUE ...
...
SHIGURE ...
...
¿HAS VUELTO CON ELLA?
QUÉ ...
QUÉ VA ...
PARA NADA. NO TE PREOCUPES.
¿DE DÓNDE SACAS ESAS IDEAS?
¿NO ME DIGAS QUE ESO ES LO QUE PARECE?
SIN PALABRAS.
ERES DE LO QUE NO HAY ...
DATE PRISA EN VOLVER, ANTES DE QUE AKITO TE ECHE DE MENOS.
AAAH...
¿LO DICES PARA PINCHARME?
SABES PERFECTAMENTE QUE TIENE A KURENO Y A YUKI A SU LADO.
SEGURO QUE ESTÁ FELIZ DE LA VIDA.

Concurso de popularidad

Celebrado en la revista HANA YO YUME en su momento. Estos son los resultados:

1. Kyo
2. Tooru
3. Yun-Yun
4. Hatori
5. Haru
6. Momichín
7. Kakeru
8. Aaya
9. Kureno
10. Gure
11. Rin
12. Hana
13. Ricchi
14. Kisa
15. Machi
16. Hiro
17. Kazuma (el maestro)
18. Akki
19. Uo
20. Kagura

Y eso es todo. En los resultados no los publicamos todos, sólo los 20 primeros. Y es que en FURUBA hay demasiados personajes... De todas maneras, ¡muchas gracias por vuestro apoyo!

PERO YUKI NO DEBE DE ESTAR PASÁNDOLO PRECISAMENTE BIEN.

...

AH ...

CLARO, SE ME OLVIDABA.

VENGA... TE PREOCUPAS DEMASIADO.

SIENTES QUE LE DEBES ALGO A YUKI, ¿VERDAD?

ESTA VEZ ...
...NO HAS PODIDO ESCAPARTE.
ME ALEGRO MUCHO
DE QUE HAYAS VUELTO PARA ESTAR CONMIGO.
...
YO TAMBIÉN ...
SÓLO POR ESO, VOY A PERDONARTE.
PROCURA VENIR A VERME CON MÁS FRECUENCIA A PARTIR DE AHORA.
...TE PERDONO, AKITO.

ESPERA …
NO SE TRATA DE QUE NADIE PERDONE A NADIE.
ES QUE …
NO QUIERO SEGUIR CULPANDO A OTROS …
…DE MIS PRO-BLEMAS.
ESTOY CANSA-DO DE ECHAR LA CULPA DE LO QUE NO ME SALE BIEN …
…A TI, A MI MADRE O A KYO.
NECESITO ACEPTAR …
…QUE TENGO MUCHOS FALLOS Y QUE HAY LU-GARES QUE DEBO VISITAR DE NUEVO.
ME GUSTE O NO.
NO PUEDO SEGUIR ENGAÑÁN-DOME COMO UN IDIOTA.

PERDÓN...
ZAS
...
AKITO...
CHAC
PLAF
¡YUKI!
¿¡QUÉ HA OCURRIDO!? ¡ESTÁS SANGRANDO MUCHO!
ESTOY BIEN... NO ES MÁS QUE UN CORTE...
¡ENTIENDO! ¡SIENTES UN DOLOR INSOPORTABLE! ¡PERO NO TEMAS, AQUÍ ESTOY YO CON LA FUERZA DE CIEN CABALLOS SI ES NECESARIA PARA AYUDARTE!
DÉJATE DE DIS-CURSITOS Y TRÁE-MELO EN SEGUIDA.
¡¡A TUS ÓRDENES, TORI!!

¡AKITO!
PÍDEME PERDÓN ...
¡PÍDEME PERDÓN!
¡PÍDEME PERDÓN!

NO
...
NO TE
VAYAS.
CRAAAASH

SI CONTINÚO
CULPANDO A LOS DEMÁS DE TODO LO MALO QUE ME OCURRE ...
...NADA CAMBIARÁ.
POR ...
¿POR QUÉ
ME MIRAS ASÍ?
...SUS OJOS ...

SHAAA
¡¡NO TE MUERAS, YUKI!!
¡¡NO TE ABANDONARÉ CUANDO LA PARCA ACUDA A BUSCARTE!! ¡¡MORIREMOS UNIDOS, TAL Y COMO JURAMOS AQUELLA TARDE CON EL SOL DEL CREPÚS-CULO BRILLANDO SOBRE EL RÍO SENA!!
¡YO NO TE HE JURADO NADA! ¡NI SIQUIERA HE VISTO EL SENA!
¡DEJA DE INVENTARTE COSAS QUE NO HAN PASADO!
PERO NUNCA MÁS ...
...VOLVERÉ CONTIGO.
¡SE VA-LIENTE, YUKI!
...
PERDÓ-NAME.
HAY QUE VER ...
TU HERMANO ES UN EXA-GERADO DE MARCA MAYOR.
YA ...

LA HERIDA NO ES MUY PROFUNDA.

PERO SERÁ MEJOR QUE TE EXAMINEN EN EL HOSPITAL.

EL GOLPE EN LA CABEZA PUDO SER BASTANTE FUERTE.

VALE... GRACIAS.

HUF

NO LAS MEREZCO.

SIENTO NO HABER INTERCEDIDO ANTES.

NO IMPORTA, SÓLO HABRÍAS CONSEGUIDO QUE AKITO SE ENFADASE TODAVÍA MÁS.

...

¿QUÉ LE DIJISTE?

¿EH? NADA ESPECIAL... SÓLO QUE YA NO QUERÍA CULPAR A NADIE MÁS Y ...

AH ...

SE ME OLVIDABA.

QUERÍA PEDIRTE PERDÓN ...

...POR LO QUE PASÓ CUANDO ERA NIÑO.

UNA PARTE DE MÍ …
…SIEMPRE TE HA CULPADO POR LO QUE OCURRIÓ.
DESDE SIEMPRE.
CLARO, SE ME OLVIDABA.
SIENTES QUE LE DEBES ALGO A YUKI, ¿VERDAD?
NO LO HAGAS …
LO SIENTO MUCHO …
PROBABLEMENTE TE DOLIERA TANTO COMO A MÍ.
ERA MUY PEQUEÑO …

...
ZAS
¿¡UAH!?
NO TE PREOCUPES.
NO TIENES NADA POR LO QUE DISCUL- PARTE.
FRUS
FRUS
¡AY! ME HACES DAÑO ...
ERES UN BUEN CHICO.
... YUKI ...
...
GRACIAS.

PROCURA NO PARECERTE A TU HERMANO.
NO PODRÍA AUNQUE QUISIERA.
NADIE PUEDE.
ZAS
¿ME LLAMABAIS!? ¿HABÉIS TERMINADO CON EL PROCESO CURATIVO!?
¡HATSU!
¿TE MARCHAS?
SÍ... PARECE QUE A YUKI NO LE HA PASADO NADA, Y MIENTRAS AKITO NO ESTÁ...
CHICO LISTO.
¿VAS A VER A RIN A CASA DE KAZUMA?
SÍ.

¿Y TÚ, GRAN AUTOR? ¿NO VAS A BUSCAR A AKITO?
NO HA SALIDO DE SU CUARTO DESDE EL JARRONAZO.
NO ME PASO LA VIDA SIGUIENDO SUS PASOS, ¿SABES?
ADEMÁS, HOY NO ME APETECE.
TE DAN UNAS VENADAS MUY RARAS, GRAN AUTOR.
SIEMPRE.
SÍ, ES QUE SOY TODO UN MISTERIO. ♡
PUES NADA
SALUDA A RIN DE MI PARTE.
VALE.
ESO SI CONSIGO HABLAR CON ELLA ANTES.
FAS FAS
...
AKITO ...
...
A VER SI APRENDES LA LECCIÓN DE UNA VEZ.

ISUZU...

SOLÍA VENIR AQUÍ A MENUDO CUANDO ERA PEQUEÑA.

EL MAESTRO TIENE BUENA MANO CON LOS NIÑOS, Y CUANDO VENÍA NO SE DESPEGABA DE ÉL.

YO TENÍA LA SENSACIÓN DE QUE ME ESTABA ROBANDO AL MAESTRO... POR ESO NO LA SOPORTABA.

KYO...

TIENES PUNTOS MUY MONOS.

SE HA QUEDADO DORMIDA HACE UN RATO.

Z Z Z

EL MAESTRO ESTÁ EN EL BAÑO.

NO DEBE DE IMPORTARLE MUCHO RECIBIR EL AÑO NUEVO.

AH...

YA DEBE DE FALTAR POCO PARA QUE DEN LAS DOCE.

¿TIENES ALGÚN DESEO PARA EL AÑO NUEVO, KYO?

LO DEJAREMOS EN SECRETO, ENTONCES.
...
SI VAS A PREGUNTÁRMELO, DEBERÍAS DECIRME ANTES CUÁL ES EL TUYO, ¿NO?
AH...
LO SIENTO MUCHO... PERDONA.
EL AÑO PASADO...
...DESEÉ QUE YUKI Y KYO SE LLEVASEN MEJOR.
PARA QUE PUEDAN...
...SER FELICES.
PERO ESTE AÑO...
...MI DESEO SERÁ QUE LA MALDICIÓN SE ROMPA.

¡KURENO!
ZAS
DE PARTE DE TOORU.
ES UN REGALO.
AUNQUE SÓLO SEA ...
...DARLES UNA OPORTUNIDAD.

Míralo cuando estés solo.
...UN CAMBIO.
PARA QUE LLEGUE ...
FRUITS BASKET. TOMO 16. FIN.

MUCHÍSIMAS GRACIAS

A HARADA, ARAKI, MI
MADRE Y MI SUPERVISOR.

Y A TODOS LOS LECTORES
QUE ME LEÉIS Y APOYÁIS.

PREPARAD VUESTROS RECEPTORES
PARA LAS ONDAS ELECTROMAGNÉTICAS...

DE PARTE DE **NATSUKI TAKAYA**

YA SP
741.5952 T136
v. 16

Takaya, Natsuki, 1973-
Fruits basket
Vinson YA CIRC
11/09

Spanish language translation rights in Spain arranged with
HAKUSENSHA, INC., Tokyo through TOHAN CORPORATION, Tokyo.
© 2007 NORMA Editorial por la edición en castellano.
Passeig de Sant Joan 7 08010 Barcelona.
Tel.: 93 303 68 20. - Fax: 93 303 68 31.
norma@normaeditorial.com
Traducción: Marta Gallego - Traducciones Imposibles.com.
Realización técnica: Quim Miró.
Depósito legal: B-38507-2006.
ISBN: 978-84-9814-647-9.
Printed in the EU.

www.NormaEditorial.com